SANDRA H

Du même auteur chez le même éditeur

L'*Alchimiste*, traduction de Jean Orecchioni, 1994.
L'*Alchimiste*, traduction de Jean Orecchioni,
édition illustrée par Mœbius, 1995.
Sur le bord de la rivière Piedra je me suis assise et j'ai pleuré,
traduction de Jean Orecchioni, 1995.
Le Pèlerin de Compostelle, traduction de Françoise
Marchand-Sauvagnargues, 1996.
Le Pèlerin de Compostelle, traduction de Françoise
Marchand-Sauvagnargues, édition illustrée de tableaux
de Cristina Oiticica et de photos d'Yves Dejardin, 1996.
La Cinquième Montagne, traduction de Françoise
Marchand-Sauvagnargues, 1998.

Titre original MANUEL DO GUERREIRO DA LUZ
Cette édition a été publiée avec l'accord de Sant Jordi Asociados,
Barcelone Espagne

ISBN 2-84337-074-4

Paulo Coelho

Manuel du Guerrier de la Lumière

Traduit du portugais (Brésil)
par Françoise Marchand-Sauvagnargues

Éditions Anne Carrière

Ô Marie conçue sans péché priez pour nous
qui faisons appel à Vous Amen
Rio de Janeiro, samedi 31 août 1996

Note de l'auteur

À l'exception du prologue et de l'épilogue, tous les textes du présent ouvrage ont été publiés dans la rubrique « Maktub » du quotidien A *Folha de São Paulo*, et dans divers autres journaux brésiliens ou étrangers, entre 1993 et 1996.

Pour S.I.L.
Eduardo Rangel
et Anne Carrière,
passés maîtres dans l'usage
de la rigueur et de la compassion

« Le disciple n'est pas
au-dessus de son maître,
mais tout disciple bien formé
sera comme son maître. »
Luc, 6, 40.

Prologue

Prologue

« De la plage, à l'est du village, on aperçoit une île où se dresse un temple gigantesque, aux innombrables cloches », dit la femme.

Le petit garçon ne l'avait jamais vue dans les environs ; il remarqua qu'elle portait des vêtements étranges et qu'un voile recouvrait ses cheveux.

« Connais-tu ce temple ? lui demanda-t-elle. Va le voir, et tu me diras comment tu le trouves. »

Séduit par la beauté de la femme, l'enfant se rendit à l'endroit indiqué. Assis sur le sable, il scruta l'horizon, mais ne vit que le spectacle auquel il était habitué : le ciel bleu qui se mêlait à l'océan.

Déçu, il marcha jusqu'au hameau voisin, et il demanda aux pêcheurs s'ils avaient entendu parler d'une île et d'un temple.

« Oui ! Il y a très longtemps, à l'époque où

mes arrière-grands-parents habitaient par-là, lui répondit un vieux pêcheur. Mais un tremblement de terre s'est produit, et l'île a été engloutie. Pourtant, même si nous ne pouvons plus la voir, il nous arrive encore d'entendre les cloches du temple, lorsque le balancement des vagues dans les profondeurs marines les fait sonner. » L'enfant retourna sur la plage et il tendit l'oreille. Il attendit ainsi tout l'après-midi, mais il ne perçut que le bruit des vagues et les cris des mouettes.

Quand ce fut la nuit, ses parents vinrent le chercher. Mais, le lendemain matin, il retourna sur la plage; l'image de la femme le hantait, et il lui semblait impensable qu'une personne aussi belle pût raconter des mensonges. Si un jour elle revenait, il pourrait lui dire qu'il n'avait pas vu l'île, mais qu'il avait entendu les cloches du temple que le mouvement des vagues faisait tinter.
Ainsi passèrent des mois; la femme ne revint pas, et le gamin l'oublia; mais il se souvenait qu'il y avait un temple sous

l'eau, et un temple renferme toujours des richesses et des trésors. S'il entendait les cloches, l'enfant aurait la certitude que les pêcheurs avaient dit la vérité ; aussi, quand il serait grand, il pourrait rassembler assez d'argent pour monter une expédition et découvrir le trésor caché.

Il ne s'intéressait plus à l'école, ni à ses camarades. Il devint le sujet de plaisanterie favori des autres enfants, qui répétaient : « Il n'est plus comme nous. Il préfère rester face à la mer, et il évite de jouer avec nous parce qu'il a peur de perdre. »
Et tous riaient en voyant le gamin assis au bord de la plage.
Bien qu'il ne réussît toujours pas à entendre les vieilles cloches du temple, l'enfant, chaque matin, allait apprendre quelque chose de différent. D'abord, il découvrit que, à force de percevoir leur rumeur, il ne se laissait plus distraire par les vagues. Peu après, il s'habitua aussi aux cris des mouettes, au bourdonnement des abeilles, au vent qui faisait claquer les feuilles des palmiers.

Six mois après sa première rencontre avec la femme, le petit garçon était capable de ne plus se laisser distraire par aucun bruit – mais il n'entendait pas pour autant les cloches du temple englouti.

D'autres pêcheurs étaient venus lui parler. « Nous, nous les entendons ! » affirmaient-ils avec insistance.

Mais le gamin n'y parvenait pas.

Quelque temps après, les propos des pêcheurs changèrent : « Tu te préoccupes trop du bruit des cloches ; laisse tomber, et retourne jouer avec tes copains. Peut-être les pêcheurs sont-ils les seuls à pouvoir les entendre. »

Au bout d'un an environ, l'enfant décida de renoncer. « Ces hommes ont peut-être raison. Il vaut mieux que je grandisse et que je devienne pêcheur ; alors, je retournerai tous les matins sur cette plage, et j'entendrai les cloches. » Et il pensa aussi : « Peut-être que tout cela est une légende, et qu'avec le tremblement de terre les cloches se sont brisées et ne sonneront plus jamais. »

Cet après-midi-là, il décida de rentrer chez lui.

S'approchant de l'océan pour lui faire ses adieux, il regarda encore une fois la nature et, comme il ne s'inquiétait plus des cloches, il put sourire de la beauté du chant des mouettes, de la rumeur de la mer, du vent qui faisait claquer les feuilles des palmiers. Il écouta au loin les voix de ses amis qui s'amusaient et se sentit joyeux de savoir qu'il pouvait retourner aux jeux de son enfance. Ils s'étaient peut-être moqués de lui, mais ils oublieraient vite ce qui s'était passé et ils l'accueille-raient.

L'enfant était content et – comme seul un enfant peut le faire – il remercia d'être en vie. Il avait la certitude de n'avoir pas perdu son temps, car il avait appris à contempler et à révérer la Nature.

Alors, parce qu'il écoutait la mer, les mouettes, le vent, le bruissement des palmes et les voix de ses amis qui jouaient, il entendit aussi la première cloche.

Et une autre.

Et encore une autre. Jusqu'au moment où toutes les cloches du temple englouti se mirent à sonner, le remplissant de joie.

Des années plus tard, alors qu'il était devenu un homme, il revint au village de son enfance. Il n'avait nulle intention de repêcher quelque trésor enfoui au fond de la mer ; peut-être tout cela avait-il été le fruit de son imagination enfantine, et peut-être même n'avait-il jamais entendu sonner les cloches englouties. Cependant, il décida de se rendre sur la plage pour écouter le bruit du vent et le chant des mouettes.

Quelle ne fut pas sa surprise lorsqu'il aperçut, assise sur le sable, la femme qui lui avait parlé de l'île et de son temple.

« Que fais-tu ici ? demanda-t-il.

– Je t'attendais. »

Bien que de nombreuses années eussent passé, elle avait toujours la même apparence ; le même voile dissimulait ses cheveux, et il ne paraissait pas abîmé par le temps.

Elle lui tendit un cahier bleu, dont les feuilles étaient vierges.

« Écris : un guerrier de la lumière prête attention au regard d'un enfant, parce que les enfants savent voir le monde sans amertume. Lorsqu'il désire savoir si une personne est digne de confiance, il la regarde avec les yeux d'un enfant.

– Qu'est-ce qu'un guerrier de la lumière ?

– Tu le sais, répondit-elle en souriant. C'est celui qui est capable de comprendre le miracle de la vie, de lutter jusqu'au bout pour ce en quoi il croit, et – alors – d'entendre les cloches que la mer fait retentir dans ses profondeurs. »

Jamais il n'avait jugé qu'il était un guerrier de la lumière. La femme parut deviner ses pensées.

« Tout le monde en est capable. Et personne ne se juge un guerrier de la lumière, bien que tout le monde puisse l'être. »

Il regarda les pages du cahier. La femme sourit de nouveau.

« Écris », répéta-t-elle.

Manuel
du guerrier
de la lumière

Un guerrier de la lumière n'oublie jamais la gratitude.

Au cours de la lutte, les anges l'ont aidé ; les forces célestes ont mis chaque chose à sa juste place et ont permis au guerrier de donner le meilleur de lui-même.

Ses compagnons commentent : « Comme il a de la chance ! » Et le guerrier obtient parfois beaucoup plus que ce que ses seules capacités lui autorisent.

Alors, quand le soleil se couche, il s'agenouille et remercie le Manteau Protecteur qui l'entoure.

Mais sa gratitude ne se limite pas au monde spirituel ; il n'oublie jamais les amis, parce que leur sang s'est mêlé au sien sur le champ de bataille.

Un guerrier n'a nul besoin qu'on lui rappelle l'aide que lui ont prodiguée les autres ; il se souvient tout seul, et partage avec eux la récompense.

Tous les chemins du monde mènent au cœur du guerrier; il s'immerge sans hésiter dans le fleuve de passions qui traverse sa vie.

Le guerrier sait qu'il est libre de choisir ce qu'il désire; ses décisions sont prises avec courage, désintéressement, et – parfois – avec une certaine dose de folie.

Il accepte ses passions et en jouit intensément. Il sait qu'il n'est pas nécessaire de renoncer à l'enthousiasme des conquêtes; elles font partie de la vie, et réjouissent tous ceux qui y prennent part.

Mais il ne perd jamais de vue les choses durables et les liens solides qui se sont créés au fil du temps.

Un guerrier sait distinguer ce qui est passager de ce qui est définitif.

Un guerrier de la lumière ne compte pas seulement sur ses propres forces ; il se sert aussi de l'énergie de son adversaire.

Lorsque commence le combat, tout ce qu'il possède c'est son enthousiasme, et l'art des coups qu'il a appris à l'entraînement ; au fur et à mesure que la lutte se déroule, il découvre que l'enthousiasme et l'entraînement ne suffisent pas pour vaincre : l'expérience est nécessaire.

Alors il ouvre son cœur à l'Univers et demande à Dieu de l'inspirer, afin que chaque coup de l'ennemi soit aussi, pour lui, une leçon de défense.

Ses compagnons commentent : « Comme il est superstitieux ! Il a interrompu la lutte pour prier, et il respecte les ruses de l'adversaire. »

Le guerrier de la lumière ne répond pas à ces provocations. Il sait que, sans inspiration et sans expérience, aucun entraînement ne donne de résultat.

Un guerrier de la lumière ne triche jamais; mais il sait distraire son adversaire.

Aussi anxieux soit-il, il use des ressources de la stratégie pour atteindre son objectif. Quand il se sent à bout de forces, il fait en sorte que l'ennemi pense qu'il n'est pas pressé. Lorsqu'il doit attaquer à droite, il déplace ses troupes vers la gauche. S'il a l'intention d'entreprendre la lutte sur-le-champ, il feint d'avoir sommeil et de se préparer à dormir.

Ses amis commentent : « Voyez comme il a perdu son enthousiasme ! » Mais il n'accorde pas d'importance aux commentaires, parce que ses amis ne connaissent pas ses tactiques.

Un guerrier de la lumière sait ce qu'il veut. Et il n'a pas besoin de fournir d'explications.

Un sage chinois commente ainsi les stratégies du guerrier de la lumière :

« Laisse croire à ton ennemi que tu ne tireras pas un grand avantage de ta décision de l'attaquer ; de cette manière, tu diminueras son enthousiasme.

« N'aie pas honte de te retirer provisoirement du combat, si tu sens que l'ennemi est le plus fort ; l'important n'est pas la bataille isolée, mais la fin de la guerre.

« Si tu es suffisamment fort, n'aie pas honte non plus de feindre la faiblesse ; cela ôte à ton ennemi sa prudence et le pousse à attaquer avant l'heure.

« Dans une guerre, la capacité de surprendre l'adversaire est la clé de la victoire. »

« C'est curieux, se dit le guerrier de la lumière. J'ai rencontré tant de gens qui – à la première occasion – tentent de montrer le pire d'eux-mêmes. Ils cachent leur force intérieure derrière l'agressivité ; ils masquent leur peur de la solitude sous un air d'indépendance. Ils ne croient pas en leurs propres capacités, mais passent leur temps à proclamer aux quatre vents leurs qualités. »

Le guerrier lit ces signes chez nombre d'hommes et de femmes de sa connaissance. Il ne se laisse jamais abuser par les apparences et s'efforce de rester silencieux quand on cherche à l'impressionner. Mais il saisit la moindre occasion de corriger ses défauts, puisque les autres sont toujours un bon miroir de nous-mêmes.

Un guerrier profite de toutes les opportunités pour devenir son propre maître.

L e guerrier de la lumière lutte parfois avec qui il aime.

L'homme qui préserve ses amis n'est jamais dominé par les tempêtes de l'existence ; il a des forces pour surmonter les difficultés et aller de l'avant.

Très souvent, cependant, il se sent défié par ceux auxquels il tente d'enseigner l'art de l'épée. Ses disciples le provoquent au combat.

Et le guerrier montre ce dont il est capable : en quelques coups, il envoie à terre les armes de ses élèves, et l'harmonie revient dans leur lieu de réunion.

« Pourquoi faire cela, si tu es tellement supérieur ? demande un voyageur.

– Parce que, lorsqu'ils me défient, ils cherchent en vérité à me parler et que, de cette manière, je maintiens le dialogue », répond le guerrier.

Avant d'entreprendre un combat important, un guerrier de la lumière se demande : « Jusqu'à quel point ai-je développé mon habileté ? » Il sait que des batailles qu'il a menées autrefois il a toujours retenu quelque chose. Cependant, quantité de ces enseignements l'ont fait souffrir plus que nécessaire. Plus d'une fois, il a perdu son temps en luttant pour un mensonge, ou a souffert pour des êtres qui n'étaient pas à la hauteur de son amour.

Mais les vainqueurs ne répètent pas la même erreur. C'est pourquoi le guerrier de la lumière ne risque son cœur que pour quelque chose qui en vaut la peine.

Un guerrier de la lumière respecte le principal enseignement du Yi-king : « La persévérance est favorable. »

Il sait que la persévérance n'a rien à voir avec l'obstination. Il y a des époques où les combats se prolongent au-delà du nécessaire, épuisant ses forces et affaiblissant son enthousiasme.

Dans ces moments-là, le guerrier réfléchit : « Une guerre prolongée finit par détruire même le pays victorieux. »

Alors, il retire ses forces du champ de bataille et s'accorde une trêve. Il persévère dans sa volonté, mais il sait attendre le meilleur moment pour une nouvelle attaque.

Un guerrier retourne toujours à la lutte. Il le fait parce qu'il constate que la situation a changé, jamais par crainte.

Un guerrier de la lumière constate que certains moments se répètent.

Fréquemment, il se voit placé devant des problèmes et des situations auxquels il avait déjà été confronté. Alors il est déprimé. Il songe qu'il est incapable de progresser dans la vie, puisque les difficultés sont de retour.

« Je suis déjà passé par là, se plaint-il à son cœur.

— Il est vrai que tu as déjà vécu cela, répond son cœur. Mais tu ne l'as jamais dépassé. »

Le guerrier comprend alors que la répétition des expériences a une unique finalité : lui enseigner ce qu'il n'a pas encore appris.

Un guerrier de la lumière fait toujours des gestes hors du commun.

Il peut danser dans la rue en se rendant à son travail. Ou regarder un inconnu dans les yeux et parler d'amour au premier coup d'œil. Défendre une idée qui peut paraître ridicule. Le guerrier de la lumière se permet ce genre de choses.

Il ne craint pas de pleurer de vieux chagrins, ni de se réjouir de nouvelles découvertes. Quand il sent l'heure venue, il abandonne tout et part pour l'aventure dont il a tant rêvé. Quand il comprend qu'il est à la limite de sa résistance, il quitte le combat, sans se sentir coupable d'avoir fait une ou deux folies inattendues.

Un guerrier ne passe pas ses jours à tenter de jouer le rôle que les autres ont choisi pour lui.

Les guerriers de la lumière ont toujours une lueur particulière dans le regard.

Ils sont au monde, ils font partie de la vie des autres, et ils ont commencé leur voyage sans besace ni sandales. Il leur arrive souvent d'être lâches, et ils n'agissent pas toujours correctement.

Les guerriers de la lumière souffrent pour des causes inutiles, ont des comportements mesquins et parfois se jugent incapables de grandir. Ils se croient fréquemment indignes d'une bénédiction ou d'un miracle.

Ils ne savent pas toujours avec certitude ce qu'ils font ici. Souvent, ils passent des nuits éveillés, à penser que leur vie n'a pas de sens.

C'est pour cela qu'ils sont guerriers de la lumière. Parce qu'ils se trompent. Parce qu'ils s'interrogent. Parce qu'ils cherchent une raison – et, certainement, ils vont la trouver.

L e guerrier de la lumière ne craint pas de paraître fou.

Il se parle à voix haute quand il est seul. Quelqu'un lui a appris que c'était la meilleure manière de communiquer avec les anges, et il cherche ce contact.

Au début, il constate combien c'est difficile. Il pense qu'il n'a rien à dire, qu'il va répéter des sottises.

Pourtant, le guerrier insiste. Chaque jour il converse avec son cœur. Il dit des choses qu'il ne pense pas vraiment, il dit des bêtises.

Un jour, il perçoit un changement dans sa voix. Et il comprend qu'il est en train de canaliser une sagesse supérieure.

Le guerrier semble fou, mais ce n'est qu'un masque.

Un poète a dit : « Le guerrier de la lumière choisit ses ennemis. »

Le guerrier sait de quoi il est capable. Il n'a pas besoin de courir le monde en louant ses qualités et ses vertus. Cependant, à tout moment apparaît quelqu'un qui veut prouver qu'il est meilleur que lui.

Le guerrier sait qu'il n'existe pas de « meilleur » ou de « pire » : chacun possède les dons nécessaires à son chemin individuel.

Mais certaines personnes insistent. Elles le provoquent, l'offensent, font tout pour l'irriter. En cet instant, le cœur du guerrier dit : « N'écoute pas les offenses, elles ne vont pas accroître ton habileté. Tu vas te fatiguer inutilement. »

Un guerrier de la lumière ne perd pas son temps à écouter les provocations ; il a un destin à accomplir.

Un guerrier de la lumière se rappelle à tout instant un passage de John Bunyan :

« Bien que je sois passé par tout ce par quoi je suis passé, je ne regrette pas les problèmes dans lesquels je me suis engagé, parce que ce sont eux qui m'ont mené là où je voulais arriver. Maintenant, à l'approche de la mort, tout ce que je possède est cette épée, et je la remets à celui qui désire suivre son pèlerinage. J'emporte avec moi les marques et les cicatrices des combats – elles sont les témoignages de ce que j'ai vécu et les récompenses de ce que j'ai conquis.

« Ce sont ces marques et ces cicatrices chéries qui vont m'ouvrir les portes du Paradis. À une certaine époque, j'ai passé ma vie à écouter des histoires de bravoure. À une certaine époque, je n'ai vécu que parce que j'avais besoin de vivre. Mais maintenant je vis parce que je suis un guerrier, et parce que je veux un jour rejoindre la compagnie de Celui pour lequel j'ai tant lutté. »

Au moment où il se met en marche, un guerrier de la lumière reconnaît le Chemin.

Chaque pierre, chaque tournant lui souhaitent la bienvenue. Il s'identifie aux montagnes et aux ruisseaux, il voit une parcelle de son âme dans les plantes, les animaux et les oiseaux de la campagne.

Alors, acceptant l'aide de Dieu et des Signes de Dieu, il laisse sa Légende Personnelle le guider en direction des tâches que la vie lui réserve.

Certaines nuits, il n'a nulle part où dormir; d'autres nuits, il souffre d'insomnie. « C'est moi qui ai décidé de prendre cette voie, pense le guerrier. Cela en fait partie. »

Cette phrase renferme tout son pouvoir. Il a choisi la route par laquelle il chemine maintenant, et il n'a pas à se plaindre.

Dorénavant – et pour quelques siècles –, l'Univers va assister les guerriers de la lumière et boycotter ceux qui ont des idées préconçues.

L'énergie de la Terre a besoin d'être renouvelée.

Les idées nouvelles ont besoin d'espace.

Le corps et l'âme ont besoin de nouveaux défis.

Le futur est devenu présent, et tous les rêves – sauf ceux qui reflètent des idées préconçues – auront l'occasion de se manifester.

L'important demeurera ; l'inutile disparaîtra. Mais le guerrier sait qu'il n'est pas chargé de juger les rêves de son prochain, et il ne perd pas de temps à critiquer les décisions d'autrui.

Pour avoir foi dans son propre chemin, il n'a pas besoin de prouver que le chemin de l'autre n'est pas le bon.

Un guerrier de la lumière étudie avec beaucoup de soin la position qu'il prétend conquérir.

Aussi difficile que soit son objectif, il y a toujours un moyen de surmonter les obstacles. Il vérifie les chemins alternatifs, aiguise son épée, et s'efforce d'emplir son cœur de la persévérance indispensable pour faire face au défi.

Mais à mesure qu'il avance, le guerrier se rend compte qu'il existe des difficultés qu'il n'avait pas envisagées.

S'il lui faut attendre le moment idéal, il ne bougera jamais; un peu de folie est nécessaire pour faire un pas de plus.

Le guerrier use d'un peu de folie. Parce que – à la guerre comme en amour – il n'est pas possible de tout prévoir.

Un guerrier de la lumière connaît ses défauts. Mais il connaît aussi ses qualités.

Certains compagnons se plaignent sans cesse : « Les autres ont plus de chance que nous. »

Peut-être ont-ils raison ; mais un guerrier ne se laisse pas paralyser par ce constat ; il cherche à valoriser au maximum ses atouts.

Il sait que le pouvoir de la gazelle réside dans la rapidité de sa course, celui de la mouette dans la précision avec laquelle elle vise le poisson. Il a appris que le tigre n'a pas peur de la hyène, car il est conscient de sa propre force.

Un guerrier essaie de savoir sur quoi il peut compter. Il vérifie toujours son bagage, qui se compose de trois éléments : foi, espérance et amour.

Si les trois sont présents, il n'hésite pas à poursuivre.

Le guerrier de la lumière sait que nul n'est idiot et que tout le monde peut apprendre de la vie – même si cela exige du temps.

Il donne toujours le meilleur de soi et attend toujours le meilleur des autres. Avec générosité, il cherche à mettre en valeur le potentiel de chacun.

Certains compagnons commentent : « Il y a des gens ingrats. »

Le guerrier ne se laisse pas ébranler pour autant. Et il continue à stimuler les autres, car c'est une manière de se stimuler lui-même

Tout guerrier de la lumière a eu peur de s'engager dans le combat.

Tout guerrier de la lumière a trahi et menti par le passé.

Tout guerrier de la lumière a déjà perdu la foi en l'avenir.

Tout guerrier de la lumière a souffert pour des choses sans importance.

Tout guerrier de la lumière a douté d'être un guerrier de la lumière.

Tout guerrier de la lumière a manqué à ses obligations spirituelles.

Tout guerrier de la lumière a dit oui quand il voulait dire non.

Tout guerrier de la lumière a blessé quelqu'un qu'il aimait.

C'est pour cela qu'il est un guerrier de la lumière ; parce qu'il est passé par toutes ces expériences et n'a pas perdu l'espoir de devenir meilleur.

Le guerrier écoute toujours les paroles de certains prédicateurs anciens, comme celles de T.H. Huxley :

« Les conséquences de nos actions sont des épouvantails pour les lâches, et des rayons de lumière pour les sages.

« Le monde est un échiquier dont les pièces sont les gestes de notre vie quotidienne et les règles ce que l'on appelle les lois de la nature. Nous ne pouvons pas distinguer le Joueur qui nous fait face, mais nous savons qu'il est juste, honnête et patient. »

Il revient au guerrier de relever le défi. Lui sait que Dieu ne passe pas une seule erreur à ceux qu'il aime, et ne permet pas que ses préférés feignent d'ignorer les règles du jeu.

Un guerrier de la lumière n'ajourne pas ses décisions.

Il réfléchit bien avant d'agir ; il tient compte de son entraînement, de sa responsabilité et de son devoir envers le maître. Il cherche à garder sa sérénité et considère chacun de ses pas comme s'il était le plus important.

Cependant, au moment de prendre une décision, le guerrier va de l'avant : il ne doute plus de son choix, ni ne change de parcours si les circonstances sont différentes de ce qu'il imaginait.

Si sa décision est la bonne, il gagnera le combat – même s'il dure plus longtemps que prévu. Si sa décision est mauvaise, il sera vaincu et devra repartir de zéro – mais avec plus de sagesse.

Un guerrier de la lumière, quand il commence, va jusqu'au bout.

Un guerrier sait que ses meilleurs maîtres sont celles et ceux qui partagent son champ de bataille. Il est dangereux de demander un conseil. Il est encore plus risqué d'en donner un. Quand il a besoin d'aide, le guerrier s'efforce d'observer la manière dont ses amis résolvent, ou ne résolvent pas, leurs problèmes.

S'il est en quête d'inspiration, il lit sur les lèvres de son voisin les mots que son ange gardien veut bien lui adresser.

Quand il est fatigué ou solitaire, il ne rêve pas de femmes et d'hommes lointains ; il va trouver les êtres qui sont proches de lui et partage leur douleur ou leur besoin d'affection – avec plaisir et sans culpabilité.

Un guerrier sait que l'étoile la plus éloignée de l'Univers se manifeste dans les choses qui l'entourent.

Un guerrier de la lumière partage son monde avec les personnes qu'il aime. Il les exhorte à réaliser leurs désirs alors qu'elles n'en ont pas le courage.

Dans ces moments-là, l'ennemi apparaît avec deux tables à la main.

Sur l'une, il est écrit : « Pense davantage à toi. Garde tes bénédictions pour toi-même, ou tu finiras par tout perdre. »

Sur l'autre, il lit : « Qui es-tu pour aider les autres ? Serait-ce que tu n'arrives pas à voir tes propres défauts ? »

Un guerrier n'ignore pas qu'il a des défauts. Mais il sait aussi qu'il ne peut pas grandir tout seul, à l'écart de ses compagnons.

Alors, il jette par terre les deux tables, même s'il pense qu'elles comportent un fond de vérité. Elles tombent en poussière, et le guerrier continue d'aider son prochain.

L e sage Lao-tseu commente en ces termes le voyage du guerrier de la lumière :

« Le Chemin inclut le respect de tout ce qui est petit et fragile. Tu dois toujours savoir reconnaître quand le moment est venu d'adopter l'attitude adéquate.

« Même si tu as déjà tiré à l'arc à diverses reprises, continue d'être vigilant à la manière dont tu places ta flèche et tends la corde.

« Quand le débutant est conscient de ses besoins, il finit par être plus intelligent que le sage distrait.

« Accumuler de l'amour signifie chance, accumuler de la haine signifie calamité. Celui qui ne reconnaît pas les problèmes laisse la porte ouverte et les tragédies surviennent.

« Le combat n'a rien à voir avec la querelle. »

Le guerrier de la lumière médite. Il s'assoit tranquillement dans sa tente et s'abandonne à la lumière divine.

Il fait le vide dans son esprit et ne pense à rien ; il se détache de la recherche des plaisirs, des défis et des révélations, et laisse ses dons et ses pouvoirs se manifester.

Même s'il ne les perçoit pas tout de suite, ces dons et ces pouvoirs gouvernent sa vie et influent sur son quotidien.

Tandis qu'il médite, le guerrier cesse d'être seulement lui-même et devient une étincelle de l'Âme du Monde. Ce sont ces moments qui lui permettent de comprendre quelle est sa responsabilité et d'agir en accord avec elle.

Un guerrier de la lumière sait que, dans le silence de son cœur, il existe un ordre qui le guide.

« Quand mon arc est bandé, dit Herrigel à son maître zen, il arrive un moment où, si je ne tire pas sur-le-champ, j'ai l'impression de m'essouffler.

— Tant que tu t'efforceras de provoquer le moment de décocher ta flèche, tu n'apprendras pas l'art des archers, rétorqua le maître. La main qui bande l'arc doit s'ouvrir telle la main d'un enfant. Ce qui parfois trouble la précision du tir, c'est la volonté trop vive de l'archer. »

Un guerrier de la lumière pense quelquefois : « Ce que je ne ferai pas ne sera pas fait. »

Il n'en va pas ainsi : il doit agir, mais il doit aussi laisser l'Univers opérer au moment voulu.

Un guerrier, quand il souffre d'une injustice, cherche en général à rester seul, pour ne pas montrer sa douleur aux autres.

C'est un comportement positif et négatif à la fois.

Laisser son cœur guérir lentement de ses blessures est une chose. Rester plongé toute la journée dans sa méditation, de peur de paraître faible, en est une autre.

En chacun de nous il existe un ange et un démon, et leurs voix se ressemblent beaucoup. Devant la difficulté, le démon soliloque et cherche à nous convaincre que nous sommes vulnérables. L'ange nous invite à réfléchir sur nos attitudes, et il a parfois besoin de s'exprimer par la bouche d'autrui.

Un guerrier parvient à un équilibre entre solitude et dépendance.

Un guerrier de la lumière a besoin d'amour. L'affection et la tendresse font partie de sa nature – autant que la nourriture, la boisson, et le plaisir qu'il prend à mener le Bon Combat. Lorsque le guerrier n'est pas heureux devant un coucher de soleil, c'est que quelque chose ne va pas.

À ce moment-là, il interrompt le combat et part à la recherche d'une compagnie pour assister ensemble à la tombée du jour.

S'il a du mal à la trouver, il se demande : « Ai-je eu peur de m'approcher de quelqu'un ? Serait-ce que j'ai reçu de l'affection et ne l'ai pas senti ? »

Un guerrier de la lumière peut choisir la solitude, mais il ne la subit pas.

L e guerrier de la lumière sait qu'il est impossible de vivre en état de complet relâchement.

Il a appris de l'archer que, pour tirer sa flèche au loin, il faut maintenir l'arc bien bandé. Il a appris des étoiles que seule l'explosion intérieure permet de briller. Le guerrier constate que le cheval, au moment de franchir un obstacle, contracte tous ses muscles.

Mais il ne confond jamais tension et nervosité

Le guerrier de la lumière parvient toujours à équilibrer Rigueur et Miséricorde. Pour atteindre son rêve, il a besoin d'une volonté ferme – mais aussi d'une immense capacité de dévouement.

Bien qu'il connaisse son objectif, le chemin pour y parvenir n'est pas toujours celui qu'il imaginait.

C'est pourquoi le guerrier use de discipline et de compassion. Dieu n'abandonne jamais Ses enfants, mais Ses desseins sont insondables, et Il construit notre route à l'aide de nos propres pas.

Grâce à la discipline et au dévouement, le guerrier garde intact son enthousiasme. Jamais la routine n'a pu soulever des montagnes.

Le guerrier de la lumière se comporte parfois comme l'eau, et il se glisse entre les nombreux obstacles qui parsèment sa route.

À certains moments, résister signifie être détruit. Alors, il s'adapte aux circonstances. Il accepte, sans se plaindre, que les pierres du chemin tracent sa voie à travers les montagnes.

En cela réside la force de l'eau : jamais un marteau ne peut la briser, ni un couteau la blesser. L'épée la plus puissante du monde est incapable de laisser une entaille à sa surface.

L'eau d'une rivière s'adapte au terrain, sans jamais oublier son objectif : la mer. Ténue à sa source, elle acquiert peu à peu la force des fleuves qu'elle rencontre.

Et, au bout d'un moment, son pouvoir est total.

Pour le guerrier de la lumière, il n'existe rien d'abstrait. Tout est concret, et tout lui inspire respect. Il ne reste pas assis, dans le confort de sa tente, à observer ce qui se passe de par le monde. Le guerrier de la lumière accepte chaque défi comme une occasion de se transformer lui-même.

Certains de ses compagnons passent leur vie à critiquer l'absence de choix, ou à commenter les décisions des autres. Le guerrier, lui, transforme sa pensée en action.

Quelquefois, il manque son objectif, et il paie – sans se plaindre – le prix de son erreur. D'autres fois, il s'écarte du chemin et perd beaucoup de temps à revenir à son destin originel.

Mais le guerrier ne se laisse pas distraire.

Le guerrier de la lumière a les qualités d'un roc.

Quand celui-ci se trouve en terrain plat et que tout, alentour, est en harmonie, il demeure stable. Les gens peuvent bâtir leurs maisons par-dessus, la tempête ne détruira pas ce qui a été construit.

En revanche, lorsque le terrain est incliné, les choses alentour ne peuvent se maintenir en ordre ni en équilibre ; il révèle alors sa force et roule droit sur l'ennemi qui menace la paix. Dans ces moments-là, le guerrier est dévastateur, et nul ne parvient à le retenir.

Un guerrier de la lumière pense simultanément à la guerre et à la paix, et il sait agir selon les circonstances

Un guerrier de la lumière trop confiant en son intelligence finit par sous-estimer le pouvoir de l'adversaire.

Il ne faut pas oublier ceci : il y a des moments où la force est plus efficace que la sagacité.

Une corrida dure quinze minutes ; le taureau comprend vite qu'on le trompe – et sa réaction est de se jeter sur le toréador. Alors, il n'y a pas d'ingéniosité, d'argument, d'intelligence ou de charme qui puissent éviter la tragédie.

Aussi le guerrier ne sous-estime-t-il jamais la force brute. Quand elle est trop violente, il se retire du champ de bataille – jusqu'à ce que l'ennemi ait épuisé toute son énergie.

Le guerrier de la lumière sait reconnaître un ennemi plus fort que lui. S'il décide de l'affronter, il sera immédiatement anéanti. S'il relève ses offenses, il tombera dans un piège.

Aussi use-t-il de diplomatie. Quand l'ennemi se comporte de manière puérile, il en fait autant. Quand il le provoque au combat, il feint de ne pas comprendre.

Ses amis commentent : « C'est un lâche. » Mais le guerrier se moque de ces commentaires : il sait que toute la colère et tout le courage d'un oiseau sont vains devant le chat.

Dans de telles situations, le guerrier fait preuve de patience. L'ennemi s'en ira vite en provoquer d'autres.

Un guerrier de la lumière ne reste jamais indifférent à l'injustice. Il sait que tout est un, et que chaque action individuelle affecte tous les hommes de la planète.

Alors, quand il se trouve devant la souffrance d'autrui, il se sert de son épée pour remettre les choses en ordre.

Mais, bien qu'il lutte contre l'oppression, à aucun moment il ne cherche à juger l'oppresseur. Chacun répondra de ses actes devant Dieu, et – pour cette raison – une fois sa tâche accomplie, le guerrier n'émet aucun commentaire.

Un guerrier de la lumière est au monde pour aider ses frères, non pour condamner son prochain.

Un guerrier de la lumière n'est jamais lâche.

La fuite peut être une excellente méthode de défense, mais on ne peut y recourir quand la peur est vive. Dans le doute, le guerrier préfère affronter la défaite puis soigner ses blessures – car il sait que, s'il fuit, il donne à l'agresseur un pouvoir plus grand que celui qu'il mérite.

Dans les moments difficiles et douloureux, le guerrier assume sa position d'infériorité avec héroïsme, résignation et courage.

Un guerrier de la lumière n'est jamais pressé. Le temps travaille en sa faveur ; il apprend à maîtriser son impatience et évite les gestes irréfléchis.

Avançant lentement, il note la fermeté de ses pas. Il sait qu'il participe à un moment décisif de l'histoire de l'humanité, et qu'il doit changer lui-même avant de transformer le monde. Pour cela, il se rappelle les propos de Lanza del Vasto : « Une révolution a besoin de temps pour s'installer. »

Un guerrier de la lumière ne cueille jamais le fruit quand il est encore vert.

Un guerrier de la lumière a besoin de patience et de vivacité à la fois.

Les deux plus graves erreurs stratégiques sont : agir avant l'heure et laisser passer l'occasion.

Pour éviter cela, le guerrier traite chaque situation comme si elle était unique. Il n'applique ni formules, ni recettes, et ne se fie pas à l'avis des autres.

Le calife Mouawiya demanda à Omr ben al-Aas quel était le secret de sa grande habileté politique.

Il obtint la réponse suivante : « Je ne me suis jamais lancé dans une action sans avoir envisagé au préalable une retraite possible ; d'un autre côté, je ne suis jamais entré dans un lieu avec l'intention d'en partir en courant. »

Un guerrier de la lumière se décourage souvent.

Il pense que rien ne parviendra à susciter l'émotion qu'il espérait. Il passe des après-midi ou des nuits entières à tenir une position conquise, sans qu'aucun événement nouveau vienne raviver son enthousiasme.

Ses amis commentent : « Peut-être sa lutte est-elle déjà terminée. »

Le guerrier ressent douleur et confusion en écoutant ces paroles parce qu'il sait qu'il n'est pas parvenu là où il voulait. Mais il est têtu, et il n'abandonne pas ce qu'il a décidé de faire.

Alors, au moment où il s y attend le moins, une porte s'ouvre.

Un guerrier de la lumière ne souille jamais son cœur du sentiment de haine. Quand il marche vers la lutte, il se rappelle les propos du Christ : « Aimez vos ennemis. »

Et le guerrier obéit.

Mais il sait que le pardon ne l'oblige pas à tout accepter. Un guerrier ne peut baisser la tête – sinon, il perd de vue l'horizon de ses rêves.

Il remarque que ses adversaires sont là pour tester sa bravoure, sa persévérance, sa capacité de décision. Ils sont une bénédiction, parce que ce sont eux qui l'obligent à lutter pour ses rêves.

C'est l'expérience du combat qui renforce le guerrier de la lumière.

Le guerrier se souvient du passé. Il connaît la Quête Spirituelle de l'homme, il sait que sont déjà écrites certaines des plus belles pages de l'Histoire.

Et certains de ses pires chapitres : massacres, sacrifices, obscurantisme. Utilisée à des fins particulières, cette quête a vu ses idéaux servir de bouclier à de terribles intentions.

Le guerrier a entendu des commentaires de ce type : « Comment saurai-je si ce chemin est le bon ? » Il a vu bien des gens renoncer à la quête parce qu'ils n'avaient pas répondu à cette question.

Le guerrier, lui, n'a pas de doutes ; il connaît une formule infaillible.

« Par les fruits tu connaîtras l'arbre », a dit Jésus. Il suit cette règle et ne se trompe jamais.

L e guerrier de la lumière connaît l'importance de l'intuition.

Au beau milieu de la bataille, il n'a pas le temps de penser aux coups de l'ennemi. Il se fie à son instinct et obéit à son ange gardien.

En période de paix, il déchiffre les signes que Dieu lui envoie.

Les gens disent : « Il est fou. »

Ou alors : « Il vit dans un monde imaginaire. »

Ou encore : « Comment peut-il croire en des choses qui n'ont pas de logique ? »

Mais le guerrier sait que l'intuition est l'alphabet de Dieu, et il continue d'écouter le vent et de parler aux étoiles.

Le guerrier de la lumière s'assoit avec ses compagnons autour d'un feu. Ils parlent de leurs conquêtes, et les étrangers qui se joignent au groupe sont les bienvenus, car tous sont fiers de leur vie et de mener le Bon Combat.

Le guerrier sait combien il est important de partager son expérience avec les autres. Il évoque avec enthousiasme le chemin, raconte comment il a résisté à une provocation, quelle solution il a trouvée pour une situation difficile. Quand il relate ces histoires, il le fait avec passion et romantisme.

Parfois, il se permet d'en rajouter un peu. Il se rappelle que ses ancêtres aussi exagéraient de temps à autre.

Alors il peut bien faire la même chose – à condition de ne jamais confondre orgueil et vanité, et de ne pas croire à ses propres exagérations.

« Oui, entend dire le guerrier de la lumière, j'ai besoin de tout comprendre avant de prendre une décision. Je veux avoir la liberté de changer d'idée. »

Le guerrier considère cette phrase avec défiance. Lui aussi dispose de la même liberté, mais cela ne l'empêche pas d'assumer un engagement, même s'il ne comprend pas exactement pourquoi il le fait.

Un guerrier de la lumière prend des décisions. Son âme est libre comme les nuages dans le ciel, mais il est responsable de son rêve. Sur son chemin librement choisi, il doit se réveiller à des heures qui ne lui conviennent pas, parler avec des gens qui ne lui apportent rien, consentir à certains sacrifices.

Ses amis commentent : « Tu te sacrifies inutilement. Tu n'es pas libre. »

Le guerrier est libre. Mais il sait que, dans un four ouvert, le pain ne cuit pas.

« **D**ans toute activité, il faut savoir ce que l'on peut en attendre, connaître les moyens d'atteindre son objectif et les ressources dont on dispose.

« Seul peut affirmer qu'il a renoncé aux fruits celui qui ne ressent pas le moindre attrait pour les résultats de la conquête et reste absorbé dans le combat.

« On peut renoncer aux fruits, mais ce renoncement ne signifie pas que l'on soit indifférent aux résultats. »

Le guerrier de la lumière écoute avec respect la stratégie de Gandhi. Et il ne se laisse pas troubler par des gens qui, incapables de parvenir au moindre résultat, passent leur temps à prêcher le renoncement.

Le guerrier de la lumière fait attention aux petites choses, parce qu'elles peuvent causer beaucoup de mal.

Une épine, aussi petite soit-elle, oblige le voyageur à interrompre sa marche. Une cellule microscopique peut détruire un organisme sain. La réminiscence d'un instant de peur réveille chaque matin la couardise. Une fraction de seconde d'inattention suffit pour que l'ennemi assène un coup fatal.

Le guerrier est attentif aux petites choses. Parfois il est dur avec lui-même, mais il préfère agir ainsi.

« Le diable réside dans les détails », dit un vieux proverbe de la Tradition.

L e guerrier de la lumière n'a pas toujours la foi. Il y a des moments où il ne croit absolument en rien.

Il interroge son cœur : « Un tel effort en vaut-il la peine ? »

Mais son cœur reste silencieux. Et le guerrier doit décider tout seul.

Alors il cherche un exemple. Et il se souvient que Jésus est passé par une étape semblable, pour pouvoir vivre la condition humaine dans sa plénitude.

« Éloigne de moi ce calice », a dit Jésus. Lui aussi a perdu la force et le courage, mais il ne s'est pas arrêté.

Le guerrier de la lumière continue sans foi. Mais il poursuit, et la foi finit par revenir.

L e guerrier sait qu'aucun homme n'est une île.

Il sait qu'il ne peut pas lutter seul ; quel que soit son projet, il dépend toujours d'autres personnes. Il a besoin de discuter de sa stratégie, de demander de l'aide et, dans les moments de repos, d'échanger avec quelqu'un des histoires de combat.

Mais il ne laisse pas les gens confondre sa camaraderie avec un manque d'assurance. Il est transparent dans ses actions et secret dans ses projets.

Un guerrier de la lumière danse avec ses compagnons, mais ne délègue à personne la responsabilité de ses pas.

Entre deux batailles, le guerrier se repose.

Souvent, il passe des jours sans rien faire, parce que son cœur l'exige. Mais son intuition reste en éveil. Il ne commet pas le péché capital de la paresse, car il sait où elle peut le conduire : à la sensation morne de ces dimanches après-midi où le temps passe – et rien d'autre.

Le guerrier appelle cela la « paix du cimetière ». Il se souvient d'un passage de l'Apocalypse : « Je sais tes œuvres : tu n'es ni froid ni bouillant. Que n'es-tu froid ou bouillant ! Mais parce que tu es tiède, et non froid ou bouillant, je vais te vomir de ma bouche. »

Un guerrier s'amuse et rit. Mais il est toujours attentif.

L e guerrier de la lumière sait que tout le monde a peur de tout le monde.

Cette peur se manifeste en général de deux façons : par l'agressivité ou par la soumission. Ce sont les deux faces du même problème.

Pour cette raison, quand il se trouve devant quelqu'un qui lui inspire de la peur, le guerrier se rappelle que l'autre aussi ressent l'insécurité. Il a surmonté des obstacles semblables, il a traversé les mêmes difficultés.

Mais il sait mieux affronter la situation Pourquoi ? Parce qu'il utilise la peur comme un moteur, et non comme un frein.

Alors le guerrier apprend de l'adversaire, et il agit comme lui.

Pour le guerrier, il n'existe pas d'amour impossible.

Il ne se laisse pas intimider par le silence, par l'indifférence ou par le rejet. Il sait que, derrière le masque glacé dont se servent les gens, il y a un cœur de braise. Aussi le guerrier prend-il plus de risques que les autres. Il cherche sans répit l'amour de quelqu'un – même si cela implique d'entendre souvent le mot « non », de rentrer chez soi vaincu, de se sentir rejeté corps et âme.

Un guerrier ne se laisse pas effrayer quand il cherche ce dont il a besoin. Sans amour, il n'est rien.

Le guerrier de la lumière connaît le silence qui précède un combat décisif.

Et ce silence semble dire : « Les choses se sont arrêtées. Mieux vaut laisser la lutte de côté et s'amuser un peu. »

Les combattants sans expérience jettent alors leurs armes et se plaignent de l'ennui.

Le guerrier, lui, est attentif au silence ; quelque part, quelque chose se produit. Il sait que les tremblements de terre destructeurs surviennent sans prévenir. Pour avoir traversé des forêts de nuit, il sait que, lorsque les animaux ne font aucun bruit, le danger est proche.

Tandis que les autres conversent, le guerrier se prépare à manier l'épée et scrute l'horizon.

Le guerrier de la lumière croit.

Parce qu'il croit aux miracles, les miracles commencent à se produire. Parce qu'il a la certitude que sa pensée peut changer sa vie, sa vie se met à changer. Parce qu'il est certain qu'il va trouver l'amour, cet amour apparaît.

De temps en temps, il est déçu.

Quelquefois, il se blesse.

Alors il entend les commentaires : « Comme il est ingénu ! »

Mais le guerrier sait que c'est le prix à payer. Pour chaque défaite, il a deux conquêtes à son actif.

Tous ceux qui croient le savent.

L e guerrier de la lumière a appris qu'il est préférable de suivre la lumière. Il a trahi, menti, il s'est écarté de son chemin, il a rompu des trêves. Et tout a continué de lui réussir – comme si rien ne s'était passé.

Cependant, un abîme surgit subitement. On peut faire mille pas fermement – un simple pas de plus peut être la fin de tout. Alors le guerrier s'arrête à temps.

Il s'est arrêté car il a entendu quatre commentaires : « Tu as toujours commis des erreurs. Tu es trop vieux pour changer. Tu n'es pas bon. Tu ne le mérites pas. »

Alors il lève les yeux vers le ciel. Et une voix dit : « Tout le monde commet des erreurs. Tu es pardonné, mais je ne peux pas te pardonner malgré toi. Décide-toi. »

Le véritable guerrier de la lumière accepte le pardon.

L e guerrier de la lumière cherche toujours à s'améliorer.

Chaque coup de son épée porte en lui des siècles de sagesse et de méditation. Chaque coup doit avoir la force et l'habileté de tous les guerriers du passé, qui, aujourd'hui encore, continuent de bénir la lutte. Chaque mouvement au combat rend hommage aux gestes que les générations antérieures ont voulu transmettre par l'intermédiaire de la Tradition. Le guerrier développe la beauté de ses coups.

Un guerrier de la lumière est digne de confiance.

Il commet certaines erreurs et se juge parfois plus important qu'il ne l'est réellement. Mais il ne ment pas.

Quand il les rejoint autour du feu, il converse avec ses compagnes et ses compagnons. Il sait que les mots qui sortent de sa bouche sont conservés dans la mémoire de l'Univers comme un témoignage de ce qu'il pense.

Et le guerrier réfléchit : « Pourquoi est-ce que je parle tant, alors que bien souvent je ne suis pas capable de faire tout ce que je dis ?

– Les idées que tu défends publiquement, il faudra t'efforcer de vivre en accord avec elles », répond son cœur.

C'est parce qu'il pense être ce qu'il dit que le guerrier finit par devenir ce qu'il affirme être.

Le guerrier sait que le combat s'interrompt, de temps à autre. Il ne sert à rien de précipiter la lutte ; il est nécessaire d'avoir de la patience, d'attendre que les forces s'entrechoquent de nouveau.

Dans le silence du champ de bataille, il écoute les battements de son cœur et constate qu'il est tendu, qu'il a peur.

Il fait un bilan de sa vie ; il vérifie que son épée est aiguisée, son cœur satisfait, et que la foi embrase son âme. Il sait que la préparation est aussi importante que l'action.

Il manque toujours quelque chose. Et le guerrier profite des moments où le temps est suspendu pour mieux se préparer.

Un guerrier sait qu'un ange et un démon se disputent la main qui tient l'épée.

Le démon dit : « Tu vas faiblir. Tu ne vas pas savoir quel est le bon moment. Tu as peur. »

L'ange dit : « Tu vas faiblir. Tu ne vas pas savoir quel est le bon moment. Tu as peur. »

Le guerrier est surpris. Tous deux ont dit la même chose.

Le démon continue : « Laisse-moi t'aider. »

Et l'ange dit : « Je t'aide. »

Le guerrier comprend alors la différence. Les mots sont les mêmes, mais les alliés sont dissemblables.

Et il choisit la main de son ange.

Chaque fois que le guerrier sort son épée du fourreau, il s'en sert. Il peut s'en servir pour ouvrir un chemin, venir en aide à quelqu'un ou éloigner un danger. Mais une épée est capricieuse, et elle n'aime pas que sa lame soit exposée sans raison.

C'est pourquoi un guerrier ne profère jamais de menaces. Il peut attaquer, se défendre ou fuir – chacune de ces attitudes fait partie du combat. Ce qui n'en fait pas partie, c'est de gaspiller sa force d'un coup, en en parlant.

Un guerrier est toujours vigilant aux mouvements de son épée. Mais il ne peut pas oublier que l'épée, elle aussi, prête attention à ses mouvements à lui.

La force d'une épée se passe des mots.

Quelquefois, le mal poursuit le guerrier. Alors, tranquillement, celui-ci l'invite à entrer dans sa tente. Le guerrier demande au mal : « Veux-tu me blesser, ou te servir de moi pour blesser les autres ? »

Le mal feint de ne pas entendre. Il prétend connaître les failles de l'âme du guerrier. Il frappe sur des blessures non cicatrisées et crie vengeance. Il rappelle qu'il est le seul à connaître des pièges et des poisons subtils qui aideront le guerrier à détruire tous ses ennemis.

Le guerrier de la lumière écoute. Si le mal a un moment de distraction, il le prie de poursuivre son discours et lui demande des détails sur tous ses projets.

Puis il se lève et s'en va. Le mal a tant parlé, il est tellement fatigué et si vide qu'il ne parviendra même pas à le suivre.

Involontairement, le guerrier fait un faux pas et plonge dans l'abîme.

Les fantômes l'effraient, la solitude le tourmente. Lui qui a toujours cherché le Bon Combat, il n'imaginait pas que cela pourrait lui arriver.

C'est pourtant le cas. Enveloppé par les ténèbres, il communique alors avec son maître.

« Maître, dit-il, je suis tombé dans l'abîme. Les eaux sont profondes et obscures.

– Souviens-toi d'une chose, répond le maître. Ce qui noie quelqu'un, ce n'est pas le plongeon, mais le fait de rester sous l'eau. »

Et le guerrier rassemble toutes ses forces pour sortir de la situation dans laquelle il se trouve.

Le guerrier de la lumière se comporte comme un enfant.

Les gens sont choqués. Ils ont oublié qu'un enfant a besoin de jouer, d'être un peu irrévérencieux, de poser des questions inconvenantes et immatures, de dire des sottises auxquelles lui-même ne croit pas.

Les gens demandent, horrifiés : « C'est ça le chemin spirituel ? Cet homme n'a aucune maturité ! »

Le guerrier s'enorgueillit de ce commentaire. Et il reste en contact avec Dieu, grâce à son innocence et sa joie. Mais jamais il ne perd de vue sa mission.

La racine latine du mot « responsabilité » révèle sa signification : c'est la capacité à répondre, à réagir.

Un guerrier responsable a été capable d'observer et de s'entraîner. Il a même pu être « irresponsable » lorsque, parfois, il s'est laissé surprendre par une situation et n'y a pas répondu, ni réagi.

Mais il a retenu la leçon ; il a adopté une conduite, il a écouté un conseil, il a eu l'humilité d'accepter de l'aide.

Un guerrier responsable n'est pas celui qui porte sur ses épaules le poids du monde ; c'est celui qui a appris à reconnaître les défis de chaque instant.

Un guerrier de la lumière ne peut pas toujours choisir son champ de bataille.

Quelquefois, il est entraîné par surprise au milieu de combats qu'il ne désirait pas mener ; mais fuir n'avance à rien, car ces combats le suivront.

Alors, au moment où le conflit devient quasi inévitable, le guerrier converse avec son adversaire. Sans montrer de peur ou de lâcheté, il cherche à savoir pourquoi l'autre veut la lutte ; pour quelles raisons il a quitté son village et l'a provoqué en duel. Sans dégainer son épée, le guerrier le convainc que ce combat n'est pas le sien.

Un guerrier de la lumière écoute ce que son adversaire a à lui dire. Et il ne lutte que si c'est nécessaire.

Le guerrier de la lumière éprouve une sorte de terreur devant des décisions importantes.

« Ceci est trop grand pour toi », lui dit un ami.

« Va de l'avant, sois courageux », dit un autre.

Et ses doutes augmentent.

Après quelques jours d'angoisse, il se recueille dans sa tente, où il a coutume de s'asseoir pour méditer et prier. Il se projette dans le futur. Il voit qui tirera profit ou désavantage de son attitude. Il ne souhaite pas causer de souffrances inutiles, mais il ne veut pas non plus abandonner le chemin.

Le guerrier laisse alors la décision se manifester. S'il faut dire *oui*, il le dira avec courage. S'il faut dire *non*, il le fera sans lâcheté.

Un guerrier de la lumière assume entièrement sa Légende Personnelle.

Ses compagnons commentent : « Sa foi est admirable ! »

Le guerrier est fier pendant un bref instant, mais bien vite il a honte de ce qu'il a entendu, car il n'éprouve pas la foi qu'il montre.

À ce moment son ange lui murmure : « Tu es seulement un instrument de la lumière. Tu n'as aucune raison de t'enorgueillir, ni de te sentir coupable ; il n'y a de motif que de joie. »

Et le guerrier de la lumière, conscient d'être un instrument, se sent plus tranquille et plus sûr de lui.

« Hitler a peut-être perdu la guerre sur le champ de bataille, mais il a finalement gagné quelque chose, dit Marek Halter. Parce que l'homme du xxe siècle a créé le camp de concentration et ressuscité la torture, et enseigné à ses semblables qu'il est possible de fermer les yeux sur les malheurs des autres. »

Peut-être a-t-il raison : il y a des enfants abandonnés, des civils massacrés, des innocents incarcérés, des vieillards solitaires, des ivrognes dans le caniveau, des fous au pouvoir.

Mais peut-être n'a-t-il pas du tout raison : il y a les guerriers de la lumière.

Et les guerriers de la lumière n'acceptent jamais l'inacceptable.

L e guerrier de la lumière n'oublie jamais le vieux dicton : le bon chevreau ne rugit pas.

Il existe des injustices. Tous les hommes peuvent être entraînés dans des situations qu'ils ne méritent pas – en général quand ils sont dans l'incapacité de se défendre.

Souvent la défaite frappe à la porte du guerrier. Dans ces moments-là, il reste silencieux. Il ne dépense pas son énergie en vaines paroles ; mieux vaut dépenser ses forces pour résister, être patient, et se rappeler que Quelqu'un regarde. Quelqu'un qui a vu la souffrance injuste et ne s'en satisfait pas.

Ce Quelqu'un donne au guerrier ce dont il a le plus besoin : du temps. Tôt ou tard, tout recommencera à conspirer en sa faveur.

Un guerrier de la lumière est sage. Il ne commente pas ses défaites.

La vie d'une épée peut être brève, mais celle d'un guerrier de la lumière doit durer longtemps.

Pour cela, il ne se laisse pas abuser par ses propres capacités et il évite de se laisser surprendre. Il accorde à chaque chose la valeur qu'elle mérite.

Souvent, face à de graves problèmes, le démon lui souffle à l'oreille : « Inutile de t'inquiéter, ce n'est pas sérieux. »

D'autres fois, dans des circonstances banales, le démon lui intime : « Tu dois mettre toute ton énergie à résoudre cette situation. »

Le guerrier n'écoute pas les paroles du démon.

Il est le maître de son épée.

Un guerrier de la lumière est toujours vigilant.

Il ne demande pas aux autres la permission de brandir son épée. Il ne perd pas non plus de temps à expliquer ses gestes ; fidèle aux décisions de Dieu, il répond de ce qu'il fait.

Il regarde à ses côtés et reconnaît ses amis. Il regarde derrière lui et reconnaît ses adversaires. Il est implacable avec la trahison, mais ne se venge pas ; il se contente d'éloigner les ennemis de sa vie, sans lutter avec eux plus longtemps qu'il n'est nécessaire.

Un guerrier ne tente pas de paraître, il est.

Un guerrier ne prend pas pour compagnon quelqu'un qui lui veut du mal. On ne le voit pas non plus auprès de ceux qui désirent le « consoler ».

Il évite ceux qui ne sont à ses côtés qu'en cas de défaite : ces faux amis veulent prouver que la faiblesse présente des avantages. Ils apportent toujours de mauvaises nouvelles et tentent de détruire la confiance en soi du guerrier – sous le manteau de la « solidarité ».

Quand ils le voient blessé, ils se répandent en larmes, mais – au fond de leur cœur – ils se réjouissent parce que le guerrier a perdu une bataille. Ils ne comprennent pas que cela aussi fait partie du combat.

Les véritables compagnons d'un guerrier sont auprès de lui à tous les instants, aux heures difficiles comme aux moments heureux.

Au commencement de sa lutte, le guerrier de la lumière a affirmé : « Je fais des rêves. »

Au bout de quelques années, il pressent qu'il lui est possible de parvenir là où il veut. Il sait qu'il va être récompensé.

Alors, il se sent triste. Il connaît le malheur d'autrui, la solitude, les frustrations qui accompagnent une grande partie de l'humanité. Le guerrier de la lumière songe qu'il ne mérite pas ce qu'il va recevoir.

Son ange lui murmure : « Donne tout. » Le guerrier s'agenouille et offre à Dieu ses conquêtes.

Le don l'oblige à cesser de poser des questions stupides, et l'aide à surmonter sa culpabilité.

L e guerrier de la lumière a une épée dans les mains. C'est lui qui décide de ce qu'il fera ou ne fera en aucune circonstance.

Il y a des moments où la vie le conduit à une crise : il est forcé de se séparer de choses qu'il a toujours aimées. Alors le guerrier réfléchit. Il se demande s'il accomplit la volonté de Dieu ou s'il agit par égoïsme.

Si la séparation était vraiment sur son chemin, il l'accepte sans se plaindre.

Mais si elle a été provoquée par la perversité d'autrui, il se montre implacable dans sa réponse.

Le guerrier possède l'art du coup, et l'art du pardon. Il sait user de l'un et de l'autre avec la même habileté.

L e guerrier de la lumière ne tombe pas dans le piège du mot « liberté ». Quand un peuple est opprimé, la liberté est un concept clair. Alors, se servant de son épée et de son bouclier, il lutte jusqu'au bout de ses forces et risque sa vie. Devant l'oppression, la liberté est une notion facile à comprendre : c'est l'opposé de l'esclavage.

Mais parfois le guerrier entend les anciens dire : « Quand je cesserai de travailler, je serai libre. » Et puis, au bout d'un an, ils se plaignent : « La vie n'est qu'ennui et routine. » Dans ce cas, la liberté est plus difficile à comprendre ; elle signifie absence de sens.

Un guerrier de la lumière est toujours engagé. Il est esclave de son rêve, et libre de ses pas.

Un guerrier de la lumière ne répète pas à l'infini la même lutte – surtout quand il note qu'il n'y a ni avancée ni recul.

Si le combat, au bout d'un certain temps, ne progresse pas, il comprend qu'il faut s'asseoir avec l'ennemi et discuter d'une trêve.

Ayant déjà l'un et l'autre pratiqué l'art de l'épée, ils doivent maintenant trouver un terrain d'entente. C'est un geste de dignité, non de lâcheté. C'est un équilibre de forces et un revirement de stratégie.

Les plans de paix tracés, les guerriers rentrent chez eux. Ils n'ont rien à prouver à personne ; ils ont mené le Bon Combat et gardé la foi. Chacun a cédé un peu, apprenant ainsi l'art de la négociation.

Ses amis demandent au guerrier de la lumière d'où lui vient son énergie. « De l'ennemi caché », dit-il.

Ses amis lui demandent qui est cet ennemi. Le guerrier répond : « Quelqu'un que nous ne pouvons pas punir. »

Ce peut être un gamin qui l'a battu lors d'une bagarre durant son enfance, la petite amie qui l'a quitté lorsqu'il avait onze ans, le professeur qui le traitait d'imbécile.

Quand il est las, le guerrier se rappelle qu'il n'a pas encore eu l'occasion de prouver son courage.

Il ne pense pas à la vengeance, parce que l'ennemi caché ne fait plus partie de son histoire. Il pense seulement à accroître son habileté, pour que ses exploits fassent le tour du monde et parviennent aux oreilles de celui qui l'a blessé autrefois.

La douleur d'hier s'est transformée en force d'aujourd'hui.

Un guerrier de la lumière bénéficie toujours d'une seconde chance dans la vie.

Comme tous les autres hommes ou femmes, il n'est pas né en sachant manœuvrer son épée. Il s'est souvent trompé avant de découvrir sa Légende Personnelle.

Aucun guerrier ne peut s'asseoir autour du feu près des autres et prétendre : « J'ai toujours agi correctement. » Celui qui affirme cela ment et n'a pas encore appris à se connaître lui-même.

Le véritable guerrier de la lumière a commis des injustices par le passé. Mais, au cours de son voyage, il comprend qu'un jour ou l'autre il rencontrera de nouveau les gens envers lesquels il s'est mal comporté.

La chance lui est offerte de réparer le mal qu'il a causé. Il la saisit toujours, sans hésiter.

Un guerrier est pur comme la colombe et prudent comme le serpent.

Quand il discute avec les autres, il ne juge pas leur comportement.

Il sait que, pour répandre le mal, les ténèbres tissent un filet invisible où viennent se prendre toutes les informations qui passent; elles se transforment alors en intrigue et en jalousie qui parasitent l'âme humaine.

Ainsi, tout ce qui est dit d'une personne finit par arriver aux oreilles de ses ennemis, augmenté d'une charge obscure de poison et de méchanceté.

C'est pourquoi lorsque le guerrier de la lumière parle de l'attitude de son frère, il imagine que celui-ci est présent et écoute ses paroles.

Ainsi dit le Bréviaire de la Chevalerie médiévale :

« L'énergie spirituelle du Chemin nécessite justice et patience pour préparer ton esprit.

« Tel est le Chemin du Chevalier : un chemin facile et difficile à la fois, car il implique de renoncer aux choses inutiles et aux amitiés marginales. C'est pourquoi, au début, on hésite à le suivre.

« Voici le premier enseignement de la Chevalerie : tu effaceras ce que tu as écris jusqu'à présent sur le cahier de ta vie : inquiétude, manque d'assurance, mensonge. À la place, tu écriras le mot *courage*. En commençant le voyage avec ce mot, et en le poursuivant avec la foi en Dieu, tu arriveras là où tu dois arriver. »

Quand approche le moment du combat, le guerrier de la lumière est prêt à toutes les éventualités. Il analyse toutes les stratégies, et il s'interroge : « Qu'est-ce que je ferais si je devais lutter contre moi-même ? » De cette manière, il découvre ses points faibles.

Alors l'adversaire s'approche, le sac plein de promesses, de traités, de négociations. Ses propositions sont séduisantes et les solutions qu'il suggère, faciles.

Le guerrier analyse chacune d'elles ; lui aussi cherche un accord, mais sans perdre sa dignité. S'il évite le combat, ce ne sera pas parce qu'il a été séduit, mais parce qu'il a trouvé que c'était la meilleure stratégie.

Un guerrier de la lumière n'accepte pas de cadeaux de son ennemi.

Alors je répète :

Les guerriers de la lumière se reconnaissent au premier regard. Ils sont au monde, ils font partie du monde, et ils ont été envoyés au monde sans besace ni sandales. Souvent ils sont lâches. Et ils n'agissent pas toujours correctement.

Les guerriers de la lumière souffrent pour des sottises, ils se préoccupent de choses mesquines, se jugent incapables de grandir. De temps en temps, ils se croient indignes d'une bénédiction ou d'un miracle.

Les guerriers de la lumière se demandent fréquemment ce qu'ils font ici. Souvent ils trouvent que leur vie n'a pas de sens.

C'est pour cela qu'ils sont des guerriers de la lumière. Parce qu'ils se trompent. Parce qu'ils s'interrogent. Parce qu'ils continuent de chercher un sens. Et ils finiront par le trouver.

L e guerrier de la lumière se réveille maintenant de son rêve.

Il pense : « Je ne sais pas affronter cette lumière qui me fait grandir. »

La lumière, cependant, ne disparaît pas.

Il se demande : « Serait-ce que des changements que je n'ai pas la volonté de réaliser sont nécessaires ? »

La lumière est toujours là, parce que la volonté est un mot plein de ruse.

Alors, les yeux et le cœur du guerrier commencent à s'accoutumer à la lumière. Elle ne lui fait plus peur ; il se met à accepter sa Légende, même si cela implique de courir des risques.

Le guerrier a dormi pendant très longtemps. Il est naturel qu'il se réveille petit à petit

L e lutteur expérimenté supporte les insultes; il connaît la force de son poing, l'habileté de ses coups. Il regarde au fond des yeux l'adversaire mal préparé, et il gagne sans même avoir besoin de porter le combat sur le plan physique.

À mesure que le guerrier apprend avec son maître spirituel, la lumière de la foi brille aussi dans ses yeux, et il n'a pas besoin de prouver quoi que ce soit à personne. Peu importent les arguments agressifs de l'adversaire – qui affirme que Dieu est superstition, que les miracles sont des farces, que croire aux anges est fuir la réalité.

Comme le lutteur, le guerrier de la lumière connaît son immense force; et jamais il ne lutte avec quelqu'un qui ne mérite pas l'honneur du combat.

Le guerrier de la lumière doit toujours garder à l'esprit les cinq règles du combat écrites par Tchouang-tseu il y a plus de deux mille ans :

La foi : avant d'entreprendre une bataille, il faut croire au motif de la lutte.

Le compagnon : choisis tes alliés et apprends à combattre à leurs côtés, car personne ne gagne une guerre tout seul.

Le temps : une bataille en hiver est différente d'une bataille en été ; un bon guerrier choisit le moment d'entreprendre le combat.

L'espace : on ne lutte pas pareillement dans un défilé et dans une plaine. Considère l'espace qui t'entoure et la meilleure manière de t'y mouvoir.

La stratégie : le meilleur guerrier est celui qui planifie son combat.

Le guerrier connaît rarement le résultat d'une bataille quand celle-ci se termine.

Le mouvement de la lutte a engendré beaucoup d'énergie autour de lui, et il y a un moment où la victoire et la défaite sont également possibles. Le temps lui dira s'il a gagné ou perdu ; mais il sait que, à partir de ce moment, on ne peut plus rien faire : l'issue de cette bataille se trouve entre les mains de Dieu.

Le guerrier de la lumière ne se préoccupe pas des résultats. Il examine son cœur et demande : « Ai-je mené le Bon Combat ? » Si la réponse est positive, il se repose. Si la réponse est négative, il saisit son épée et reprend l'entraînement.

Le guerrier de la lumière a en lui l'étincelle de Dieu. Son destin est d'être avec les autres guerriers, mais parfois il lui faudra pratiquer, solitaire, l'art de manier l'épée.

Aussi, quand il est séparé de ses compagnons, se comporte-t-il telle une étoile. Il illumine la partie de l'Univers qui lui est destinée et révèle des galaxies et des mondes à tous ceux qui regardent vers le ciel.

La persévérance de ce guerrier sera bientôt récompensée. Peu à peu, les autres guerriers s'approchent, se réunissant en constellations, avec leurs symboles et leurs mystères.

Parfois le guerrier de la lumière a l'impression de vivre deux vies en parallèle.

Dans l'une, il est obligé de faire tout ce qu'il ne veut pas, de lutter pour des idées auxquelles il ne croit pas. Mais il existe une autre vie, et il la découvre dans ses rêves, ses lectures, ses rencontres avec des êtres qui pensent comme lui.

Le guerrier permet à ses deux vies de se rapprocher. « Il y a un pont qui relie ce que je fais et ce que j'aimerais faire », pense-t-il. Peu à peu, ses rêves envahissent sa routine, jusqu'au moment où il se sent prêt pour ce qu'il a toujours désiré.

Alors, il suffit d'un peu d'audace, et les deux vies ne font plus qu'une.

É cris de nouveau ce que je t'ai déjà dit :

Le guerrier de la lumière a besoin de temps pour soi. Et il consacre ce temps au repos, à la contemplation, au contact avec l'Âme du Monde. Même au beau milieu d'un combat, il parvient à méditer.

En certaines occasions, le guerrier s'assoit, se détend, et laisse advenir tout ce qui advient autour de lui. Il regarde le monde comme s'il était un spectateur, il n'essaie pas d'être plus grand ou plus petit : il ne fait que s'abandonner sans résistance au flux de la vie.

Peu à peu, tout ce qui semblait compliqué devient simple. Et le guerrier est heureux.

Le guerrier prend garde aux gens qui pensent connaître le chemin. Ils sont toujours tellement sûrs de leur propre capacité de décider qu'ils ne perçoivent pas l'ironie avec laquelle le destin écrit la vie de chacun, et ils protestent chaque fois que l'inévitable frappe à leur porte.

Le guerrier de la lumière fait des rêves, et ses rêves le poussent vers l'avant. Mais il ne commet jamais l'erreur de penser que le chemin est facile et que la porte est large.

Il sait que l'Univers fonctionne à l'image de l'alchimie : *dissous et coagule*, disent les maîtres. « Concentre et disperse Tes énergies en accord avec la situation. »

Il y a des moments pour agir et des moments pour accepter. Le guerrier sait faire cette distinction.

Le guerrier de la lumière, quand il apprend à manier l'épée, découvre que son bagage doit être complet – et cela comprend une armure.

Il part à la recherche de son armure et entend les propositions de divers vendeurs.

« Utilise la cuirasse de la solitude », dit l'un.

« Sers-toi du bouclier du cynisme », suggère l'autre.

« La meilleure armure est de ne s'engager dans rien », affirme un troisième.

Mais le guerrier n'écoute pas. Avec sérénité, il va jusqu'à son lieu sacré et revêt le manteau indestructible de la foi.

La foi pare tous les coups. La foi transforme le poison en eau cristalline.

« Je crois tout ce que les gens me disent et je suis toujours déçu », se lamentent les compagnons.

Il est important de faire confiance aux autres ; un guerrier de la lumière ne redoute pas les déceptions – parce qu'il connaît le pouvoir de son épée et la force de son amour.

Cependant, il parvient à poser des limites : accepter les signes de Dieu et comprendre que les anges nous adressent des conseils par la bouche de notre prochain est une chose ; être incapable de prendre des décisions par soi-même et chercher en permanence un moyen de laisser les autres nous dire ce que nous devons faire en est une autre.

Un guerrier fait confiance aux autres parce que, d'abord, il a confiance en lui.

Le guerrier de la lumière regarde la vie avec douceur et fermeté.

Il est face à un mystère dont, un jour, il trouvera la réponse.

À chaque pas, il se dit : « Mais cette vie paraît une folie ! »

Il a raison. Livré au miracle du quotidien, il note qu'il n'est pas toujours capable de prévoir les conséquences de ses actes. Parfois il agit sans savoir qu'il agit, il sauve sans savoir qu'il sauve, il souffre sans savoir pourquoi il est triste.

Oui, cette vie est une folie. Mais la grande sagesse du guerrier de la lumière consiste à bien choisir sa folie.

Le guerrier de la lumière contemple les deux colonnes de part et d'autre de la porte qu'il prétend ouvrir. L'une s'appelle Peur, l'autre s'appelle Désir.

Le guerrier regarde la colonne de la Peur, et là il est écrit : « Tu vas entrer dans un monde inconnu et dangereux, où tout ce que tu as appris jusqu'à présent ne te servira à rien. »

Le guerrier regarde la colonne du Désir, et là il est écrit : « Tu vas quitter un monde connu, où sont conservées les choses que tu as toujours aimées et pour lesquelles tu as tant lutté. »

Le guerrier sourit parce qu'il n'est rien qui lui fasse peur, ni rien qui le retienne. Avec l'assurance de quelqu'un qui sait ce qu'il veut, il ouvre la porte.

Un guerrier de la lumière s'applique à un puissant exercice de développement intérieur : il prête attention aux gestes qu'il accomplit machinalement – comme respirer, cligner des yeux ou observer les objets autour de lui.

Il le fait toujours quand il se sent confus. Ainsi, il se libère des tensions et laisse son intuition agir plus librement – sans qu'interfèrent ses peurs ou ses désirs. Certains problèmes qui semblaient insolubles finissent par se résoudre, certaines douleurs qu'il jugeait insupportables se dissipent spontanément.

Quand il doit affronter une situation difficile, il utilise cette technique.

L e guerrier de la lumière entend des commentaires comme : « Il y a des choses dont je ne veux pas parler pour ne pas faire d'envieux. »

À ces mots, le guerrier rit. L'envie ne peut causer aucun mal si elle n'est pas acceptée. Elle fait partie de la vie, et tout le monde doit apprendre à l'affronter.

Cependant, il parle rarement de ses projets. Et parfois les gens pensent qu'il redoute l'envie.

Ce n'est pas cela : il connaît le pouvoir des mots. Chaque fois qu'il parle d'un rêve, il use un peu de l'énergie de ce rêve pour s'exprimer. Et à trop parler, il court le risque d'épuiser l'énergie qui lui est nécessaire pour agir.

Un guerrier de la lumière connaît le pouvoir des mots.

L e guerrier de la lumière connaît la valeur de la persévérance et du courage. Très souvent, au cours du combat, il reçoit des coups auxquels il ne s'attendait pas.

Il sait que, durant la guerre, l'ennemi gagnera quelques batailles. Lorsque cela se produit, il pleure de tristesse et se repose pour reprendre des forces. Puis aussitôt il retourne lutter pour ses rêves.

Car plus il restera à l'écart, plus il risquera de se sentir faible, craintif, intimidé. Si un cavalier tombe de cheval et ne remonte pas en selle dans la minute qui suit, jamais il n'aura le courage de recommencer.

Un guerrier connaît la valeur des choses. Il décide de ses actes en se fondant sur l'inspiration et la foi.

Cependant, il rencontre parfois des personnes l'invitant à intervenir dans des luttes qui ne sont pas les siennes, sur des champs de bataille qu'il ne connaît pas, ou qui ne l'intéressent pas. Elles veulent l'entraîner dans des défis importants pour elles, mais pas pour lui.

Souvent ce sont des gens proches, qui aiment le guerrier, ont confiance en sa force, et – comme ils sont anxieux – désirent absolument son aide.

Dans ces moments-là, il sourit et témoigne son amour, mais il ne cède pas à la provocation.

Un véritable guerrier de la lumière choisit toujours lui-même son champ de bataille.

L e guerrier de la lumière sait perdre.

Il ne considère pas la défaite d'un air détaché, avec des phrases du genre : « Bon, ça n'a pas d'importance », ou « En réalité, je ne le voulais pas vraiment ». Il accepte la défaite comme telle et ne tente pas de la transformer en victoire.

La douleur des blessures, l'indifférence des amis, la solitude de la perte le rendent amer. Dans ces moments-là, il se dit : « J'ai lutté pour quelque chose, et je n'ai pas réussi. J'ai perdu la première bataille. »

Cette phrase lui donne des forces nouvelles. Il sait qu'on ne peut pas toujours gagner, et il distingue ses actions pertinentes de ses erreurs.

Quand nous désirons quelque chose, l'Univers entier conspire en notre faveur. Le guerrier de la lumière le sait.

C'est pourquoi il fait très attention à ses pensées. Cachés derrière toutes sortes de bonnes intentions, se trouvent des sentiments que personne n'ose s'avouer : la vengeance, l'autodestruction, la culpabilité, la peur de la victoire, la joie macabre devant la tragédie qui affecte les autres.

L'Univers ne juge pas : il conspire en faveur de nos désirs. Aussi le guerrier a-t-il le courage de regarder les zones d'ombre de son âme ; il s'efforce de les illuminer de la lumière du pardon.

Et il fait toujours très attention à ce qu'il pense.

Jésus disait : « Que ton oui soit oui et que ton non soit non. » Quand le guerrier assume une responsabilité, il tient parole.

Ceux qui font une promesse et ne la respectent pas perdent l'estime d'eux-mêmes, ils ont honte de leurs actes. Leur existence consiste à fuir. Ils dépensent beaucoup plus d'énergie en n'honorant pas leur parole que le guerrier de la lumière n'en utilise pour tenir ses engagements.

Parfois aussi, le guerrier assume étourdiment une responsabilité qui aura pour lui des conséquences préjudiciables. Il ne reproduira pas cette attitude, mais cela ne l'empêchera pas d'honorer sa parole et de payer le prix de son impulsivité.

Quand il gagne une bataille, le guerrier fait la fête. Cette victoire lui a coûté de durs efforts, des nuits de doute, des jours d'attente interminable. Depuis les temps anciens, fêter un triomphe fait partie du rituel de la vie : la célébration est un rite de passage.

Les compagnons assistent à la joie du guerrier de la lumière et ils songent : « Pourquoi fait-il cela ? Il peut être déçu lors de son prochain combat. Il peut s'attirer la fureur de l'ennemi. »

Mais le guerrier connaît le motif de son geste. Il profite du meilleur cadeau que la victoire puisse lui apporter : la confiance en soi.

Il célèbre aujourd'hui sa victoire d'hier, afin d'avoir plus de force pour la bataille de demain.

Un jour, sans que rien l'ait laissé prévoir, le guerrier découvre qu'il ne lutte plus avec le même enthousiasme. Il continue d'agir en tout comme il le faisait, mais chaque geste semble avoir perdu son sens.

Dès lors, il n'a qu'un choix : continuer de pratiquer le Bon Combat. Il fait ses prières par obligation, ou par crainte, ou pour quelque motif que ce soit, mais il n'interrompt pas son chemin.

Il sait que l'ange de Celui qui l'inspire est allé faire un tour. Le guerrier garde son attention tournée vers sa lutte, et il persévère, même lorsque tout lui paraît vain.

Bientôt, l'ange reviendra et, au simple bruissement de ses ailes, la joie sera de nouveau là.

L e guerrier de la lumière partage avec les autres sa connaissance du chemin. Celui qui aide est toujours aidé, et il a besoin d'enseigner ce qu'il a appris. Aussi s'assoit-il près du feu pour raconter comment s'est passée sa journée de lutte.

Un ami murmure : « Pourquoi parler aussi ouvertement de ta stratégie ? Ne vois-tu pas que, en agissant ainsi, tu cours le risque de devoir partager tes conquêtes avec les autres ? »

Le guerrier se contente de sourire et ne répond pas. Il sait que s'il parvient au terme de son voyage dans un paradis vide, son combat n'en aura pas valu la peine.

Le guerrier de la lumière a appris que Dieu se sert de la solitude pour enseigner la convivialité. Il use de la colère pour montrer la valeur infinie de la paix. De l'ennui pour mettre en évidence l'importance de l'aventure et de l'abandon.

Dieu se sert du silence pour inculquer la responsabilité des mots. De la fatigue pour que l'on reconnaisse le prix du repos. De la maladie pour faire ressortir la bénédiction que représente la santé.

Dieu se sert du feu pour nous instruire sur l'eau. De la terre pour faire comprendre la valeur de l'air. Il se sert de la mort pour souligner l'importance de la vie.

Le guerrier de la lumière donne avant qu'on ne lui demande.

Voyant cela, certains commentent : « Celui qui a besoin n'a qu'à réclamer. » Mais le guerrier de la lumière sait que beaucoup de gens ne parviennent pas – simplement *ne parviennent pas* – à demander de l'aide.

Tout près de lui se trouvent des personnes dont le cœur est si fragile qu'elles s'engluent dans des amours malsaines ; elles ont faim d'affection, et honte de le montrer. Le guerrier les réunit autour du feu, raconte des histoires, partage sa nourriture, s'enivre avec elles. Le lendemain, toutes se sentent mieux.

Ceux qui portent sur la misère un regard indifférent sont les plus misérables.

L es cordes tendues en permanence finissent par se désaccorder. Les guerriers qui consacrent tout leur temps à l'entraînement perdent la sponta-néité dans la lutte. Les chevaux qui font toujours du saut d'obstacles finissent par se casser la jambe. Les arcs qui sont ban-dés chaque jour ne tirent plus leurs flèches avec la même force.

Aussi, même s'il n'y est pas disposé, le guerrier de la lumière fait un effort pour se divertir des petites choses du quotidien.

Le guerrier de la lumière écoute Lao-tseu lorsqu'il dit que nous devons nous défaire de la conscience des jours et des heures, et prêter davantage d'attention à chaque minute.

Ainsi seulement, il parvient à résoudre certains problèmes avant qu'ils ne surviennent. En étant vigilant aux petites choses, il réussit à se protéger des grandes calamités.

Mais penser aux petites choses ne signifie pas penser petit. Une préoccupation exagérée finit par éliminer toute trace de joie de vivre.

Le guerrier sait qu'un grand rêve est formé d'une multitude d'éléments, de même que la lumière du soleil est la somme des millions de rayons qui la composent.

L e chemin du guerrier traverse parfois des périodes de routine. Alors il applique un enseignement de Nahman de Bratzlav :

« Si tu ne parviens pas à méditer, contente-toi de répéter un simple mot, parce que cela fait du bien à l'âme. Ne dis rien de plus, répète seulement ce mot, sans t'arrêter, d'innombrables fois. Il finira par perdre son sens, puis acquerra une signification nouvelle. Dieu ouvrira les portes, et finalement tu n'utiliseras plus que ce mot pour dire tout ce que tu voudras. »

Quand il est forcé d'accomplir la même tâche plusieurs fois, le guerrier recourt à cet exercice et transforme son ouvrage en prière.

Un guerrier de la lumière n'a pas de « certitudes » ; il suit un chemin auquel il cherche à s'adapter en permanence.

Ses techniques de lutte varient en été et en hiver. Flexible, il ne juge plus le monde sur la base du « vrai » et du « faux », mais sur celle de l'« attitude la plus appropriée à un moment déterminé ».

Il sait que ses compagnons aussi doivent s'adapter, et il n'est pas surpris lorsque leur comportement change. Il laisse à chacun le temps nécessaire pour justifier ses actions.

Mais il est implacable avec la trahison.

Un guerrier s'assoit près du feu pour discuter avec ses amis. Des heures durant, ils s'accusent mutuellement, puis ils passent le reste de la nuit à dormir sous la même tente et oublient les invectives qui ont été prononcées.

De temps en temps, un nouveau venu apparaît dans le groupe. Comme ils n'ont pas encore une histoire en commun, ce dernier ne montre que ses qualités, et certains voient en lui un maître.

Le guerrier de la lumière, pour sa part, ne le compare jamais à ses vieux compagnons de lutte. L'étranger est le bienvenu, mais il ne lui fera confiance que lorsqu'il connaîtra également ses défauts.

Un guerrier de la lumière n'entreprend pas une bataille sans connaître les limites de son allié.

Le guerrier connaît le vieil adage :
« Si le repentir tuait… »

Il sait que le repentir tue ; lentement, il corrode l'âme de celui qui a commis une erreur et le mène à l'autodestruction.

Le guerrier ne veut pas mourir de cette manière. Lorsqu'il se comporte avec perversité ou méchanceté – parce qu'il est un homme plein de défauts –, il n'a pas honte de demander pardon.

Si c'est encore possible, il déploie tous ses efforts pour réparer le mal qu'il a commis. Si la personne qu'il a blessée est morte, il fait du bien à un étranger et dédie cette bonne action à l'âme de celui qui a subi l'injustice.

Un guerrier de la lumière ne se repent pas, parce que le repentir tue. Il s'humilie, et répare le mal qu'il a causé.

Tous les guerriers de la lumière ont entendu leur mère dire : « Mon enfant a agi ainsi parce qu'il a perdu la tête, mais il a un bon fond. »

Bien qu'il respecte sa mère, le guerrier sait qu'il n'en va pas ainsi. Même s'il ne se culpabilise pas en raison de ses actes irréfléchis, il ne passe pas non plus son temps à excuser toutes ses erreurs – sinon, il ne corrigera jamais son chemin.

Il juge avec objectivité le résultat de ses actes, et non les intentions qu'il avait lorsqu'il les a exécutés. Il en assume toutes les conséquences, même s'il paie le prix fort pour ses erreurs.

Un vieux proverbe arabe dit : « Dieu juge l'arbre à ses fruits, et non à ses racines. »

Avant de prendre une décision importante – déclarer une guerre, partir avec ses compagnons pour une autre plaine, choisir un champ pour semer –, le guerrier se demande : « Quelle conséquence cela aura-t-il sur la cinquième génération de mes descendants ? »

Un guerrier n'ignore pas que les actes de chacun ont des répercussions qui se prolongent fort loin, et il doit savoir quel monde il laissera aux générations futures

Quelqu'un avertit le guerrier de la lumière : « Ne provoque pas une tempête dans un verre d'eau. » Mais il n'exagère jamais les difficultés et s'efforce de garder son sang-froid.

Cependant, il ne juge pas la douleur des autres.

Un petit détail – qui ne le touche en rien – peut déclencher la tempête qui couvait dans l'âme de son frère. Le guerrier respecte la souffrance de son prochain et il n'essaie pas de la comparer à la sienne.

La coupe des souffrances n'a pas la même taille pour tout le monde.

« La première qualité du chemin spirituel est le courage », disait Gandhi.

Le monde semble menaçant et dangereux aux lâches. Ils cherchent la sécurité mensongère d'une vie sans grands défis, et s'arment jusqu'aux dents pour défendre ce qu'ils croient posséder. Les lâches finissent par construire les grilles de leur propre prison.

Le guerrier de la lumière projette sa pensée au-delà de l'horizon. Il sait que, s'il ne fait rien pour le monde, personne ne le fera.

Alors il prend part au Bon Combat et il aide les autres, même sans comprendre très bien pourquoi il le fait.

Le guerrier de la lumière lit attentivement un texte que l'Âme du Monde inspira à Chico Xavier :

« Quand tu réussis à surmonter de graves problèmes relationnels, ne t'arrête pas au souvenir des moments pénibles, mais à la joie d'avoir traversé cette épreuve. Quand tu sors d'un long traitement pour recouvrer la santé, ne pense pas à la souffrance que tu as dû affronter, mais à la bénédiction de Dieu qui a permis la guérison.

« Emporte dans ta mémoire, pour le reste de ton existence, les choses positives qui ont surgi au milieu des difficultés. Elles seront une preuve de tes capacités et te redonneront confiance devant tous les obstacles »

Le guerrier se concentre sur les petits miracles de la vie quotidienne. S'il est capable de voir ce qui est beau, c'est qu'il porte en lui la beauté – puisque le monde est un miroir qui renvoie à chacun l'image de son propre visage.

Bien qu'il connaisse ses défauts et ses limites, le guerrier fait son possible pour conserver sa bonne humeur dans les moments de crise.

En fin de compte, le monde s'efforce de l'aider, même si tout, alentour, semble dire le contraire.

Il existe des résidus émotionnels, produits dans les usines de la pensée. Ce sont les douleurs passées, qui maintenant n'ont plus d'utilité ; ce sont les précautions qui ont eu de l'importance autrefois, mais ne servent à rien à présent.

Le guerrier a lui aussi des souvenirs, mais il parvient à faire le tri de ceux qui lui sont utiles. Et il se débarrasse des résidus émotionnels.

Un compagnon dit : « Mais cela fait partie de mon histoire. Pourquoi dois-je abandonner des sentiments qui ont marqué mon existence ? »

Le guerrier sourit. Il ne cherche pas à éprouver des émotions qu'il ne ressent plus. Il change, et il veut que ses sentiments l'accompagnent.

Quand il le voit déprimé, le maître dit au guerrier :

« Tu n'es pas celui auquel tu ressembles dans les moments de tristesse. Tu es bien davantage.

« Tandis que beaucoup sont partis – pour des raisons que jamais nous ne comprendrons –, tu es resté. Pourquoi Dieu a-t-il emporté des personnes tellement incroyables et t'a-t-Il laissé, toi ?

« En ce moment même, des millions de gens ont renoncé. Ils ne s'ennuient pas, ne pleurent pas, ne font plus rien ; ils attendent seulement que le temps passe. Ils ont perdu la capacité de réagir.

« Mais toi, tu es triste. Cela prouve que ton âme est toujours bien vivante. »

Quelquefois, au milieu d'une bataille qui semble interminable, le guerrier a une idée subite et parvient à vaincre en quelques secondes. Alors il pense : « Pourquoi ai-je souffert aussi longtemps dans un combat que je pouvais régler avec moitié moins d'énergie que je n'en ai dépensé ? »

En réalité, tout problème, une fois qu'il est résolu, paraît très simple. La grande victoire, qui aujourd'hui semble facile, est le résultat d'une série de petits succès qui sont passés inaperçus.

Alors le guerrier comprend, et il dort tranquille. Loin de se culpabiliser d'avoir mis si longtemps à arriver là où il voulait, il se réjouit de savoir qu'il est enfin arrivé.

Il existe deux sortes de prières.

En premier lieu, celles dans lesquelles on demande que des choses déterminées se produisent, et l'on essaie de dire à Dieu ce qu'Il doit faire. On ne laisse au Créateur ni le temps ni l'espace pour agir. Dieu – qui sait très bien quel est le meilleur pour chacun – va continuer de décider comme il Lui convient. Et celui qui prie reste avec la sensation de n'avoir pas été entendu.

Les autres prières sont celles dans lesquelles, même sans comprendre les voies du Très-Haut, l'homme laisse s'accomplir dans sa vie les desseins du Créateur. Il prie pour que lui soit épargnée la souffrance, il demande la joie dans le Bon Combat, mais à aucun moment il n'oublie de dire : « Que Votre volonté soit faite. »

Le guerrier de la lumière prie de cette seconde manière.

Le guerrier sait que les mots les plus importants, dans toutes les langues, sont de tout petits mots. Oui. Amour. Dieu.

Ce sont des mots qui vous viennent facilement et emplissent de gigantesques espaces vides.

Cependant, il existe un mot, lui aussi très bref, que beaucoup de gens ont du mal à prononcer : *non*.

Celui qui ne dit jamais *non* pense qu'il est généreux, compréhensif, bien élevé ; parce que le *non* a la réputation d'être maudit, égoïste, primaire.

Le guerrier se garde de tomber dans ce piège. Il y a des moments où, tout en disant *oui* aux autres, on peut se dire *non* à soi-même.

Aussi ne dit-il jamais *oui* avec les lèvres si son cœur pense *non*.

Premièrement : Dieu est sacrifice. Souffre dans cette vie, et tu seras heureux dans la prochaine.

Deuxièmement : celui qui s'amuse est un enfant. Vis sous tension.

Troisièmement : les autres savent ce qui est bon pour nous, parce qu'ils ont plus d'expérience.

Quatrièmement : notre devoir est de contenter les autres. Il faut leur faire plaisir, même si cela implique d'importants renoncements.

Cinquièmement : il ne faut pas boire dans la coupe du bonheur, sinon nous pouvons y prendre goût, et elle ne restera pas toujours entre nos mains.

Sixièmement : il faut accepter tous les châtiments. Nous sommes coupables.

Septièmement : la peur est un signal d'alarme. Ne courons pas de risque.

Ce sont là des commandements auxquels aucun guerrier de la lumière ne peut obéir.

Une foule de gens se tient au milieu de la route, barrant le chemin qui mène au Paradis.

Le puritain demande · « Pourquoi les pécheurs ? »

Et le moraliste crie : « La prostituée veut faire partie du banquet ! »

Le gardien des valeurs sociales s'exclame : « Comment pardonner à la femme adultère, si elle a péché ? »

Le pénitent arrache ses vêtements : « Pourquoi soigner un aveugle qui ne pense qu'à sa souffrance et ne remercie jamais ? »

L'ascète dit en s'agitant : « Tu laisses la femme répandre sur tes cheveux une huile précieuse ! Pourquoi ne pas la vendre et acheter de la nourriture ? »

En souriant, Jésus tient la porte ouverte. Et les guerriers de la lumière entrent, malgré les cris d'hystérie.

L'adversaire est avisé.

Chaque fois qu'il le peut, il saisit son arme la plus maniable et la plus efficace : l'intrigue. Quand il l'utilise, il n'a pas besoin de faire beaucoup d'efforts, parce que les autres travaillent pour lui. Avec des propos mal orientés on peut détruire des mois de dévouement, des années de recherche de l'harmonie.

Fréquemment le guerrier de la lumière est victime de ce piège. Il ignore d'où vient le coup et n'a aucun moyen de prouver que la manœuvre est mensongère. L'intrigue ne reconnaît pas le droit à la défense : elle condamne sans autre forme de procès.

Alors, le guerrier supporte les conséquences et les punitions non méritées – car la parole a du pouvoir, et il le sait. Mais il souffre en silence, et il n'use jamais de la même arme pour attaquer son adversaire.

Un guerrier de la lumière n'est pas lâche.

« **D**onne au fou mille intelligences, et il ne voudra que la tienne », dit le proverbe arabe. Quand le guerrier de la lumière commence à planter son jardin, il remarque que son voisin est là à l'épier. Il aime donner son avis sur la façon de semer les actions, d'engraisser les pensées, d'arroser les conquêtes.

Si le guerrier suivait ces conseils, il finirait par faire un travail qui n'est pas le sien ; le jardin qu'il soignerait alors serait conforme à l'idée du voisin.

Mais un véritable guerrier de la lumière sait que chaque jardin a ses mystères, que seule la main patiente du jardinier peut déchiffrer. Aussi préfère-t-il se concentrer sur le soleil, la pluie, les saisons.

Il sait que le fou qui épie par-dessus le mur et donne des conseils sur le jardin d'autrui ne soigne pas ses propres plantes.

Pour lutter, il faut garder les yeux ouverts. Et avoir pour alliés de fidèles compagnons.

Mais il arrive que, soudain, celui qui luttait au côté du guerrier de la lumière devienne son adversaire.

La première réaction est la haine ; cependant, le guerrier sait que le combattant aveugle est perdu au milieu de la bataille.

Alors il essaie de discerner les actions positives que son ancien allié a accomplies du temps où ils étaient ensemble. Il tâche de comprendre ce qui l'a conduit à changer brusquement d'attitude, quelles sont les blessures qui se sont accumulées dans son âme. Il cherche à découvrir ce qui a poussé l'un des deux à renoncer au dialogue.

Personne n'est totalement bon ou mauvais ; le guerrier songe à cela, quand il voit qu'il a un nouvel adversaire.

Un guerrier sait que la fin ne justifie pas les moyens.

Parce qu'il n'existe pas de fin ; il n'existe que des moyens.

La vie le transporte de l'inconnu vers l'inconnu. Chaque minute est revêtue de ce passionnant mystère : le guerrier ne sait pas d'où il vient, ni où il va.

Mais il n'est pas ici par hasard. Et il se réjouit d'être surpris, il s'enchante de découvrir des paysages nouveaux. Souvent il a peur, mais c'est normal chez un guerrier. S'il pense uniquement au but de son voyage, il ne prêtera pas suffisamment attention aux signes du chemin. S'il se concentre sur une seule question, il perdra maintes réponses qui se trouvent à sa portée.

Aussi le guerrier se donne-t-il tout entier.

Le guerrier sait qu'il existe un « effet cascade ».

Il a souvent vu quelqu'un mal agir envers un être qui n'avait pas le courage de répliquer. Alors, par lâcheté et ressentiment, celui-ci a déchargé sa colère sur un autre plus faible, jusqu'à entraîner un véritable courant de malheur. Nul ne connaît les conséquences de sa propre cruauté.

C'est pourquoi le guerrier est prudent dans l'usage qu'il fait de son épée et n'accepte un adversaire que s'il est digne de lui. Dans les moments de colère, il frappe du poing sur le rocher et se blesse la main. Sa main finit par guérir ; mais l'enfant qui a pris des coups parce que son père avait perdu un combat restera marqué toute sa vie.

Quand survient l'ordre du départ, le guerrier va trouver tous les amis qu'il s'est faits pendant qu'il suivait le Chemin. À certains il a enseigné comment écouter les cloches d'un temple englouti ; à d'autres il a raconté des histoires autour d'un feu.

Son cœur est triste ; mais il sait que son épée est sacrée et qu'il doit obéir aux ordres de Celui à qui il a offert sa lutte.

Alors le guerrier de la lumière remercie ses compagnons de route, respire profondément et va de l'avant, chargé des souvenirs d'un voyage inoubliable.

Épilogue

Epilogue

I faisait nuit quand la femme se tut. Ils restèrent là à regarder ensemble la lune qui se levait.

« Il y a plus d'une contradiction dans ce que tu m'as dit », remarqua-t-il.

Elle se leva.

« Adieu, dit-elle. Tu savais que les cloches au fond de la mer n'étaient pas une légende ; mais tu n'es parvenu à les entendre que lorsque tu as compris que le vent, les mouettes, le claquement des feuilles de palmiers, tout cela faisait partie du tintement des cloches.

« De même, le guerrier de la lumière sait que tout ce qui l'entoure – ses victoires, ses défaites, son enthousiasme et son découragement – fait partie du Bon Combat. Et il saura recourir à la stratégie adéquate au moment où il en aura besoin. Un guerrier n'a que faire de la cohérence. Il apprend à vivre avec ses contradictions.

– Qui es-tu ? » demanda-t-il.

Mais la femme s'éloignait déjà, marchant sur les vagues en direction de la lune qui se levait.

Cet ouvrage a été imprimé par la
SOCIÉTÉ NOUVELLE FIRMIN-DIDOT
Mesnil-sur-l'Estrée
pour le compte des Éditions Anne Carrière
104, boulevard Saint-Germain 75006 Paris
en septembre 1998

Maquette : Thierry Müller

Imprimé en France
Dépôt légal : octobre 1998
N° d'édition : 126 – N° d'impression 44211